Rapporteur !

Loi n°49-956 du 16 juillet 1949 sur les publications destinées à la jeunesse,
modifiée par la loi n°2011-525 du 17 mai 2011
ISBN 978-2-09-253657-5
N° éditeur : 10218488 - Dépôt légal : janvier 2013
Imprimé en septembre 2015 par Pollina (85400 Luçon, France) - L73550B

HUBERT BEN KEMOUN

Nico

Rapporteur !

Illustrations de Régis Faller

Nathan

Ma tante Simone m'avait offert

ce carnet en disant :

– Nico, tu pourras y écrire

tout ce que tu veux ! Tout !

  C'était un joli carnet

aux feuilles ocre,

dont la couverture en carton

imitait bien le cuir.

Dessus, en lettres dorées,

était gravé : ***Top secret.***

Le lendemain, avant la cantine,
j'ai sorti le carnet de mon cartable
pour le montrer à Farid.
C'était pendant la demi-heure
de travail personnel.
– Il est beau, mais qu'est-ce que
tu vas en faire ? m'a-t-il demandé.
– Écrire des secrets importants,
des choses spéciales !

– Tu as des secrets
que je ne connais pas ?
a-t-il fait, un peu inquiet.
– Non, mais ma tante a dit
que je pouvais écrire dans ce carnet
absolument tout ce que je voulais !
– Ben pour l'instant, il est vide !
a souri Farid en haussant
les épaules.

Sur la première page,
en m'appliquant, j'ai d'abord
écrit mon nom et mon adresse.
– C'est pas très spécial,
comme secret… a dit Farid.

Sur les deux pages suivantes,
j'ai fait des essais de signatures.
Mais j'ai vite abandonné.
Lorsque je réussissais
une signature qui me plaisait,
je n'arrivais plus à la reproduire.
– Nico, c'est un carnet *Top secret*,
pas un cahier de brouillon !
Si c'est tout ce que tu trouves
à écrire, c'est nul !

Alors, avec mes feutres, j'ai écrit :
J'aime Alice.
Plusieurs fois. Avec des cœurs
de toutes les couleurs.
– Tu sais, Nico, toute la classe
est au courant que tu l'aimes,
c'est pas un secret ! Non,
trouve un truc plus original…
une poésie personnelle,
ou mieux… une chose interdite,
qu'on ne peut dire
que dans un carnet
comme le tien !

Farid avait raison,
et je ne voulais pas le décevoir.
Après tout, il m'invitait à faire
ce que ma tante Simone avait dit…
J'ai réfléchi quelques instants
et je me suis lancé en écrivant :

Le directeur monsieur Dudal a un énorme derrière (sur son vélo quand il pédale, ça fait péter les pierres)

– T'es génial ! (Farid a éclaté
de rire.) Ça au moins, c'est top
secret ! Laisse-moi essayer !

Pas question de lui prêter
mon carnet, j'ai préféré écrire
sous sa dictée.

– *Notre maîtresse, c'est pas
des cheveux qu'elle a sur la tête,
mais une serpillière, qui lui donne
l'air bête*, a murmuré Farid
entre deux hoquets.

C'était parti. Plus rien ne pouvait
nous arrêter.
Parfois, c'est moi qui proposais,
parfois Farid :

Hervé est
un sale lèche-bottes
quand il parle
ça sent la crotte

si t'as plus de colle
dans ta trousse
tu prends les pâtes de la
cantine

elles collent mieux
qu'un pot de glu

c'est pire que la
mort qui tue !

Impossible de calmer notre fou
rire. Il était comme un incendie.
Et chacune de nos bêtises
nous excitait davantage.

– Vous faites quoi, les gars ?
a demandé Hervé
assis derrière nous.
– Des poésies ! a répondu Farid.
– Sur quoi ? a fait Hervé.
– Sur tes fesses ! j'ai dit
en pouffant.
– Maîtresse, y'a Nico et Farid
qui m'insultent !
   Hervé trépignait sur sa chaise,
comme s'il voulait aller
aux cabinets.

Farid et moi avons arrêté de rire.
– Tais-toi, espèce d'idiot,
rapporteur ! On plaisantait !
a murmuré Farid pour le calmer.
– Mademoiselle, y'a Nico
et Farid qui me traitent !

– Venez ici tous les deux !
a ordonné la maîtresse.

Mais quand nous sommes arrivés
à son bureau, la sonnerie de cantine
a retenti.

– Sortez tous, les enfants !
Et vous deux aussi, Nicolas et Farid.
Allez manger, ça ne vous fera pas
de mal ! a-t-elle ajouté.

Pendant le repas, je me suis rendu
compte que j'avais laissé le carnet
secret à côté de ma trousse.
J'ai commencé à m'inquiéter…
et j'avais raison.

Alors que nous rentrions en classe
pour l'après-midi, j'ai vu Hervé
le donner à la maîtresse !

Elle l'a posé sur son bureau
et a commencé la leçon de calcul.

Farid et moi étions verts !
Moi de honte, lui de rage…
– Je te casse la figure à la sortie !
a-t-il promis à Hervé
en se retournant.
– Essaye, et je le dis à Mlle Nony.
Tu sais, celle qui a une serpillière
sur la tête ! s'est moqué Hervé.

Non seulement il m'avait volé
mon carnet, mais en plus
il avait lu toutes nos âneries !

Cet après-midi-là a été le plus
abominable de toute ma vie.
Je n'ai rien entendu des leçons
de calcul et de sciences.
J'allais être convoqué chez
M. Dudal avec mes parents.
On allait nous punir,
peut-être même nous renvoyer
de l'école…

Avant la sortie, pendant que nous recopiions les leçons au tableau, Mlle Nony s'est assise à son bureau, a ouvert mon carnet et l'a feuilleté. J'ai cru que j'allais m'évanouir.

À côté de moi, Farid a murmuré
d'une voix grave :
– On est drôlement mal !
– T'inquiète pas pour toi !
C'est mon écriture et mon carnet,
je dirai que j'étais tout seul !
ai-je répondu, des larmes
plein les yeux.

Dans notre dos, nous avons senti
Hervé ricaner.

– Hervé, tu m'as donné ceci
tout à l'heure ? a fait Mlle Nony
en brandissant mon carnet
devant toute la classe. Tu n'as pas lu
ce qu'il y avait sur la couverture ?
– Si, maîtresse ! Mais c'est plein
d'insultes dedans, a-t-il répondu.
– « *Top secret* », cela signifie
que ça ne regarde personne ! Donc,
ça ne me regarde pas non plus !
Tu vas le rendre toi-même
à qui tu l'as pris !

Hervé a déposé le carnet
devant moi et a murmuré :
– Excuse-moi, Nico.
Je n'ai rien répondu tant
j'étais étonné et ému.
Et puis, la cloche a sonné.
– Au revoir les enfants, à demain !
a dit Mlle Nony.

– Ah oui, Nicolas, je voulais te dire…
J'ai recommencé à avoir peur.
Mais en souriant, elle a ajouté :
– À propos de mes cheveux,
tu as peut-être raison…
Ce soir, je vais aller chez le coiffeur.